名家写生 张捷写生集

主编：岳增光

天津人民美术出版社

丛书主编：岳增光

责任编辑：马　超

图书在版编目(CIP)数据

　名家写生. 张捷／张捷绘、——天津：天津人民美
术出版社，2004

　ISBN 7-5305-2553-0

　Ⅰ.名... 　Ⅱ.张... 　Ⅲ.写生画－作品集－中国－
现代　 Ⅳ.J224

　中国版本图书馆 CIP 数据核字(2004)第 050918 号

名家写生

张捷写生集

天津人民美术出版社出版发行

天津市和平区马场道150号

出版人：刘建平

邮编：300050　电话：(022)23283867

北京雅昌彩色印刷有限公司制版

北京经纬印刷厂印刷

新华书店经销

2004 年 10 月第 1 版　2004 年 10 月第 1 次印刷

开本：1194 × 1194 毫米　1/12

印张：3　印数：0001-3050

ISBN 7-5305-2553-0／J · 2553

定价：36.00 元

水墨与心境

■张 捷

■三口之家

■云南玉龙雪山

■青海塔尔寺

■青藏高原

■汉城相聚

在艺术领域里，一件有意味的作品的诞生，往往是一个艺术家对自然表象真切心理体验的结果，语言、图式只不过是艺术家的情感迹化。在水墨画的创作实践中，尤其是山水写生过程中，人们已习惯于用双眼来观察事物，而忽略了人的第三只眼睛，那就是"心眼"。当自然界变化无常的景象进入眼帘的一瞬间，不单单是"我看到"了，更重要的是"我感受到了"。经过入微观照后，画家内心所构筑起的理想化的境界，在转化成为笔下具体的艺术形象时，它已经历了一个从感知到再现（理知）的文化转换过程，当个体的情感活动变为具体的艺术图式时，不仅仅融入了个人的艺术语言、符号和样式，同样也投射出了画家独立的人格魅力。尤其在写意性较强的水墨实践中，更需要画家具备一种"意象"的笔墨思维，即从自然界的表象中抽取最为本质的东西，在内容要素无法掩盖其心理情感理念时，被最纯粹地表现在画面上，从而使其作品成为超离物象的一般存在价值。由此，在心境观照下所呈现出来的水墨状态，既真实和生动，而且又高于生活本身。

宋代郭若虚认为"画乃心印"，它"发之于情思，契之于绡楮"。自然山川的千变万化，给画家带来不同的心理体验，这种因人而异的"有感而发"所建立起来的艺术形象就成了一种个性面貌不同的情感符号，笔墨仅仅是寄托和传达情感的样式。唐人符载在《观张员外画松石序》中认为张璪的创作是"物在灵府，不在耳目，故得于心，应于手。孤姿绝状，触毫而出，气交冲漠，与神为徒"。所谓"在灵府"的"物"，意味着"得于心"的"物"，是画家融于内心世界的自然美，通过毫端而宣泄出来，只有这样的"物"，才是"应于"画家的"手"的。与此同时，张璪并不排斥客观的物或自然美，相反地他以频繁地接触自然来丰富自己的"心源"，以生成主观的对象来进行造化。单有形式而无情感，或单有情感而无形式，这对于艺术创作来说都是不可想象的，所谓"默与神会"，是指由心物契合来达到物为心用，情景交融的目的。王维《辋川图》中的那些山、谷、云、水的种种情景，乃是借以传达其"出尘"之意的，也就是说，王维不仅仅歌颂辋川之美，更重要的还在于用笔墨语言写出辋川之美来托出他自命"一尘不染"的心境。这种以意寄物，落墨写心的意象表现手法，是个人情感理想化后的形式语言的再现，在此，笔墨也就成了其中一者充当另一者的符号意义，画家也凭借它来追求画中"天人合一"的崇高境界，从而达到"畅神"的生命意义。"胸

□寒山寺 60cm×42cm 2003年

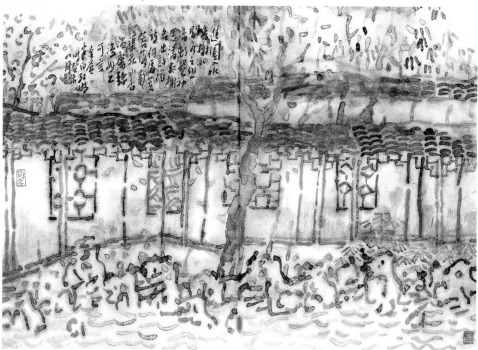

□香榭水阁 60cm×42cm 2003年

中有丘壑，笔底见云山。"画家面对自然表象的心里"内营"是通过对客观事物是否符合自己情感需要所做出的一种心理反应，故而心境的差异，造就了艺术风格、样式和个性上五彩缤纷的多元局面。

心境的感触和变化过程，实际上就是一个水墨画家语言图式和艺术状态最为基础的笔墨本源，它是从实际的、因果的秩序中抽离出来，仅为感知而存在的某种东西；是艺术家的创造，也是一种纯"意象"性的水墨情结下理智和情感的复合物。它既入理又含情。水墨的意象表现形式，在追求形神兼备的同时，也注重寓意抒情，求象外之意，给人以画外的精神联想，而并非单纯的客观描摹，它旨在通过精练隽永的笔墨语言和符号样式，来传达艺术家对客观事物的主观意念和精神思想，抒发个性、寄托襟怀。而"意象妙得"又是建立在画家对自然景物的真实而又概括地观察和把握之后，才得以因景生意，因意立法，而赋予灵活多变的笔墨形式，这种"独得于象外"而超乎自然的以意命笔，借笔达意的手法，是艺术创作中最为重要的人文取向，在这里自然界的繁杂景象已被去掉枝叶，剩下的只是那些已让心象迹化了的精神本质。

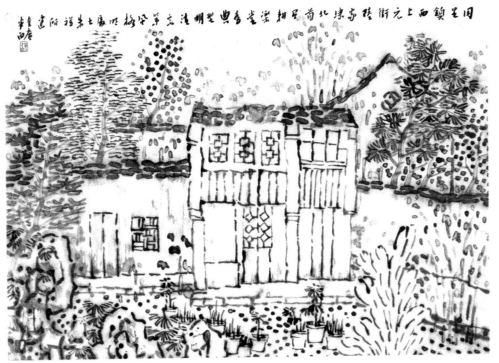

□耕乐堂 60cm × 42cm 2003 年

□渡香桥 60cm × 42cm 2003 年

□芭蕉沟 60cm×43cm 2003 年

□雅安田埂 60cm×43cm 2003年

□乐山一隅 60cm × 43cm 2003 年

□青衣江边 60cm×43cm 2003 年

□吾爱亭 60cm × 42cm 2003 年

柴門嘉豆花香 一曲清池對草堂長日觀
莫人似鶴 也應無心 小
境愈奇畫風籠鬱鬱
不何之小山叢權清
薤山怒見蒼范
獨立鴨
奎屋
蒼浪 別圃坐

□玩花池 60cm × 42cm 2003 年

□彭山道上 60cm × 43cm 2003 年

□青城雨霁 60cm × 43cm 2003 年

出山屈曲一私風目俊廢塘乌嗚徂月邊
地二應玄色無敵圖何項架葬劍三千癸未
三月高屈正劍池苏錄首啟詩句春蕗生雨

□剑池 60cm × 42cm 2003 年

□濠濮亭 60cm × 42cm 2003年

□蜂桶寨 60cm × 43cm 2003 年

□栗子坪 60cm × 43cm 2003 年

□黄石假山 60cm × 42cm 2003 年

□沧浪御碑亭 60cm × 42cm 2003 年

□西河拾趣 60cm×43cm 2003年

□洪雅山寨 60cm × 43cm 2003 年

行到觀桑廬澄潭洗象心潛沉無定影
誰潛有微音風毗藕花落煙籠溪水紫
濠梁何必遠達此樂一居尋姑蘇網師園之
半山亭釣臺清王方麓召詩咏夆屖

□半山亭钓台 60cm × 42cm 2003 年

□宛虹杠 60cm × 42cm 2003 年

□金口河头 60cm × 43cm 2003 年

□丹棱村落 60cm × 43cm 2003 年

退思草堂 　60cm × 42cm　2003 年

□闹红一舸 60cm × 42cm 2003 年

□莲村 60cm × 43cm 2003 年

□岷江之畔 60cm × 43cm 2003 年

东山柳毅小院　癸未春畫廣白宇
写

□柳毅小院 60cm × 42cm 2003 年

□姑苏台 60cm × 42cm 2003 年

□柳江人家 60cm × 43cm 2003 年

□芦山燕语 60cm × 43cm 2003 年

□石嵝庵 60cm × 42cm 2003 年

□耦园 60cm × 42cm 2003 年

□眉山之麓　60cm × 43cm　2003 年